Colección **libros para soñar**

© 1973, Iela Mari

© 2004, *l´école des loisirs*, Paris, para los derechos mundiales

Título original: *L'albero* (Emme Edizioni, Milano)

© de esta edición:
Kalandraka Ediciones Andalucía, 2007
Avión Cuatro Vientos, 7 - 41013 Sevilla
Telefax: 954 095 558
andalucia@kalandraka.com
www.kalandraka.com

Impreso en C/A Gráfica
Primera edición: marzo, 2007
Reservados todos los derechos

DL: SE-579-07
ISBN: 978-84-96388-57-4

Iela Mari

las estaciones

k a l a n d r a k a